D1135194

MARMALADE BOY

WATARU YOSHIZUMI

C'EST BIEN LÀ LE PROBLÈME...!

LES MATSUURA ?!

QUI C'EST CEUX-LÀ ?!

OUI...

HAWAÏ...

UN COUPLE QUI FAISAIT LE MÊME VOYAGE ORGANISÉ QUE NOUS.

ILS SONT DE NOTRE ÂGE ET NOUS NOUS ENTENDONS À MERVEILLE.

PENDANT NOTRE VOYAGE, MAMAN EST TOMBÉE AMOUREUSE DE M. MATSUURA...

...ET MOI, DE SA FEMME.

A...

EN EFFET.

APRÈS AVOIR LONGUEMENT RÉFLÉCHI, NOUS AVONS FINALEMENT DÉCIDÉ DE CHANGER DE CONJOINT ET DE NOUS REMARIER.

...AMOUREUSE...?!

C'EST SANS DOUTE VRAI DANS LA PLUPART DES CAS...

OR, PAR CHANCE, NOUS AVONS TROUVÉ TOUS LES DEUX EN MÊME TEMPS UNE NOUVELLE ÂME SŒUR.

OUI, CE SERAIT TRISTE S'IL S'AGISSAIT D'UNE HISTOIRE DE TROMPERIE.

GLA GLA GLA

ÇA... ÇA SUFFIT !

SOYEZ RAISONNABLES, VOYONS !!

MIKI..

EN RENCONTRANT LES MATSUURA, NOUS AVONS REDÉCOUVERT L'AMOUR ET NOUS N'AVONS PAS L'INTENTION DE LE LAISSER FILER.

JE T'EN PRIE...

...SOIS COMPRÉHENSIVE, D'ACCORD ?

KRAK

COMMENT LE POURRAIS-JE ?!!

QUI ? MOI ?!

HA HA HA

CLAP CLAP

OUH, TU AS UNE SACRÉE FORCE.

"MARMALADE BOY"
Volume N°1

MERCI À TOUS MES LECTEURS.

SALUT, JE M'AP-PELLE MIKI !

JE SUIS HABITUÉE AUX EXCENTRICITÉS DE MES PARENTS, MAIS LÀ, C'EST TROP !

ILS DÉPASSENT LES LIMITES DU TOLÉ-RABLE !!

MOI JE LES TROUVE ASSEZ COOL, EN TOUT CAS.

MEI-KO...

DE QUOI JE ME MÊLE...

FRANCHE-MENT...

...ILS VALENT BIEN MIEUX QUE MES PARENTS.

JE T'ASSU-RE...

UN GRAND NOMBRE DE LECTEURS ONT PLÉBISCITÉ L'UNIFORME DE MIKI ET JE M'EN RÉJOUIS. COMMENT TROUVEZ-VOUS LE BLASER CROISÉ DES GARÇONS PORTÉ SANS CRAVATE ? PAS MAL, NON ?

MES PARENTS SONT TRÈS DISTANTS L'UN VIS-À-VIS DE L'AUTRE ET BIEN QU'ILS AIENT CHACUN UNE LIAISON...

...MON PÈRE NE VEUT PAS DIVORCER PAR PEUR DU QU'EN-DIRA-T-ON ET MA MÈRE, ELLE, POUR DES RAISONS MATÉRIEL-LES.

POURTANT, IL SERAIT PRÉFÉRABLE QU'ILS SE SÉPARENT RAPIDEMENT...

...AU LIEU DE ME FAIRE SOUFFRIR PUISQU'ILS NE S'EN-TENDENT PLUS.

MOI...

...JE NE ME MARIERAI JAMAIS.

MEI-KO...

TU DÉCLINERAS TOUTES LES PROPOSI-TIONS ?

TU PLAIS BEAUCOUP, TU SAIS.

MAIS NON ! JE N'AI PAS ENCORE TROUVÉ CHAUSSURE À MON PIED.

AH !

JE NE CROIS PAS AU MARIAGE, C'EST TOUT.

OH... JE DOIS Y ALLER.

TU AS QUEL-QUE CHOSE DE PRÉ-VU ?

OUI, DÎNER AVEC LES MATSUURA.

IL FAUT ABSOLU-MENT QUE J'ESSAIE DE LES RAISON-NER.

BON COURAGE !

MERCI. BYE BYE !

TU RENTRES ?

TU NE VIENS PAS AU CLUB ?

GINTA ?

EUH... JE NE PEUX PAS AUJOURD'HUI. POUR RAISONS FAMILIALES.

DIS-LE AU CAPITAINE.

COMMENT ÇA ?

IL S'EST PASSÉ QUELQUE CHOSE ?

...

AH OUI...

EUH... JE T'EXPLI-QUERAI UN AUTRE JOUR... SALUT !

MES PARENTS ME CAUSENT DES SOUCIS...

...MAIS ILS RESTENT MES PARENTS.

JE NE PEUX PAS LES LAISSER FAIRE SANS RIEN DIRE !

JE SERAI INTRANSIGEANTE !!

& RESTAURANT MIKAW

MA FILLE, MIKI.

MIKI...

VOICI YÔJI MATSUURA...

...ET SA FEMME, CHIYAKO.

EN-CHANTÉ.

BON-JOUR, MIKI.

CE COUPLE A L'AIR SYMPA...

...ET TOUT À FAIT NOR-MAL.

ENCHANTÉE...

EUH... J'AI DU MAL À CROIRE QUE VOUS VOULIEZ CHANGER DE CONJOINT ET VOUS REMARIER...

C'EST POURTANT VRAI.

HMMMM

EN RÉALITÉ, CE SONT DES FAR-FELUS.

OÙ EST YUU ?

IL A DIT QU'IL REVIENDRAIT DIRECTEMENT DU LYCÉE.

IL NE DEVRAIT PAS TARDER.

C'EST QUI...?

LEUR FILS.

IL EST AUSSI EN SECONDE.

HEIN ?!

ILS ONT AUSSI UN ENFANT...

ÇA ALORS ...!!

...QUI, COMME MOI, SOUFFRE À CAUSE DE SES PARENTS !!

TANT MIEUX ! ÇA ME RÉCONFORTE DE SAVOIR QUE J'AI UN ALLIÉ.

PARFAIT. ENSEMBLE, NOUS FERONS OBSTACLE À LEURS PROJETS !

OH, LE VOILÀ.

YUU ! VIENS NOUS REJOIN-DRE !

FREETALK

COMME POUR "PRETTY GIRL", DÈS QUE NOUS AURONS COLLECTÉ LES CARTES POSTALES DE VOS OPINIONS ET VOS DESSINS RELATIFS À "MARMALADE BOY", NOUS FERONS UNE SÉLECTION ET VOUS RECEVREZ EN CADEAU DES POCHETTES DE COULEUR PLASTIFIÉES, TRÈS PRATIQUES POUR Y RANGER TOUTES SORTES DE DOCUMENTS (ON APPELLE ÇA AUSSI DES PORTE-DOCUMENTS).

ELLES SONT DE COULEUR TRANSPARENTE ET ROSE ET NOUS Y GLISSONS DES ILLUSTRATIONS DE MIKI ET DE YUU (DANS LES TRANSPARENTES, LE LOOK BLAZER, ET DANS LES ROSES, LE LOOK DÉCONTRACTÉ). MON BOSS CHOISIT LES PORTRAITS ET MOI LES CARTES DE VOS OPINIONS. CONTINUEZ À PARTICIPER !

...OÙ AI-JE LA TÊTE, ENFIN ?

LÀ N'EST PAS LE PROBLÈME.

WUP WUP ?

BON...

...C'EST LE MOMENT DE M'EXPRIMER.

ÉCOUTEZ...

JE SERAI DIRECTE.

JE VOUS DÉSAPPROUVE TOTALEMENT.

C'EST INACCEPTABLE, UNE CHOSE PAREILLE !!

VOTRE FAMILLE NE PEUT PAS ÊTRE D'ACCORD...

DE CE CÔTÉ-LÀ, ÇA VA, NOUS AVONS DÉJÀ PRÉPARÉ LE TERRAIN.

JE M'ATTENDAIS À UNE CERTAINE RÉSISTANCE DES MIENS MAIS COMME JE N'EN FAIS QU'À MA GUISE DEPUIS LONGTEMPS, LEUR SEULE RÉACTION A ÉTÉ DE ME DIRE "TU FAIS COMME TU VEUX"...

C'EST PAREIL POUR MOI. J'AI ÉTÉ DÉLAISSÉ...

PREMIÈREMENT...

...JE ME SOUCIE DU QU'EN-DIRA-T-ON.

TU NE FAIS PAS PREUVE D'OUVERTURE D'ESPRIT, POUR UNE FILLE DE TON ÂGE. L'IMPORTANT, C'EST CE QUE NOUS RESSENTONS, JE PENSE.

YIIHA

ET CE QUE NOUS RESSENTONS, YUU ET MOI ?!

C'EST NOUS QUI TRINQUONS !

PAS MOI.

EUH...

...TU NE RÉAGIS PAS ?!

NON, PUISQUE C'EST CE QU'ILS SOUHAI-TENT.

TES PARENTS TIENNENT DES PROPOS INSENSÉS, ET TOI...

MANGE TA SOUPE, ELLE VA REFROIDIR.

19

IL...

IL N'EST PAS NORMAL.

IL RESTE IMPERTURBABLE BIEN QUE SES PARENTS LUI PARLENT DE SE SÉPARER.

IL DOIT ÊTRE INSENSIBLE !

EN SOMME... IL N'Y A QUE TOI, MIKI, QUI NE SOIS PAS D'ACCORD.

TU VIENS JUSTE DE RENCONTRER LA FAMILLE MATSUURA.

JE PENSE QUE TU LES APPRÉCIERAS QUAND TU LES CONNAÎTRAS MIEUX.

N'EST-CE PAS, MIKI ?

TU LES AIMERAS BEAUCOUP J'EN SUIS SÛRE...

OH

SNIFF SNIFF

...MES PARENTS VONT DIVORCER...

...POUR ENSUITE SE REMARIER.

DANS TOUT ÇA, QU'EST-CE QUE JE DEVIENS, MOI ?

AVEC QUI DOIS-JE RESTER ?

VOUS N'ÊTES PAS COMME LES AUTRES PARENTS, VOUS ÊTES DES IRRESPON- SABLES...

VOUS NE VOUS SOUCIEZ NI DE MON BULLETIN DE NOTES, NI DE MES PERFOR- MANCES.

TOI, TU NE SAIS PAS CUISINER...

...ET TU N'AIMES PAS TE LEVER TÔT.

HMM

HMM

HMM

QUANT À TOI, TU FAIS DES DÉPENSES INCONSIDÉRÉES MALGRÉ TON SALAIRE MINABLE.

MAIS JE N'Y PEUX RIEN...

...MALGRÉ TOUT...

...VOUS RESTEZ MES PARENTS.

ET... ET JE N'AI PAS ENVIE D'ÊTRE SÉPARÉE DE VOUS...

OUHH...

21

SHHHH

SNIFF SNIFF

MIKI, MERCI...

...DE NOUS PARLER AINSI...

NOUS Y SOMMES UN PEU POUR QUELQUE CHOSE.

ÇA NOUS FAIT TRÈS PLAI-SIR...

SNIFF

...MAIS N'AIE AUCUNE INQUIÉ-TUDE.

NOUS AVONS...

...L'IN-TENTION D'ACHETER UNE GRANDE MAISON POUR Y VIVRE TOUS ENSEMBLE.

NE POSEZ PAS, C'EST PAS DE VOTRE ÂGE.

NOUS, NOUS HANGEONS DE ONJOINT, MAIS VOUS, VOUS GARDEZ VOS PARENTS.

NOUS PENSONS QUE C'EST PRÉFÉRABLE AINSI POUR VOUS.

POUR L'ÉTAT CIVIL, VOUS SEREZ PRIS EN CHARGE PAR VOS PÈRES, CE QUI ÉVITERA DE CHANGER DE NOM, C'EST-À-DIRE DES COMPLICATIONS.

ALORS, QU'EN PENSEZ-VOUS ?

NE POSEZ PAS, ENFIN !

GLOUPS !

C'EST UNE...

...BLAGUE, N'EST-CE PAS...?

VOUS DITES N'IMPORTE QUOI...!!

LES ANCIENS COUPLES ET LES NOUVEAUX COUPLES VONT VIVRE SOUS LE MÊME TOIT...?

TOUT À FAIT.

OH LÀ LÀ...

EXCUSEZ-MOI...

WAAAA

QU'EN PENSES-TU, MIKI ? RESTES-TU... MALGRÉ TOUT, OPPOSÉE À NOTRE PROJET ?

24

FRANCHE-
MENT...

C'EST
AHURIS-
SANT.

POF

TU ME
GÊNES !

...

PLU
TARD

AU LIEU DE
RÊVASSER,
DÉPÊCHE-TOI
DE RANGER
TES AFFAIRES
DANS UN
CARTON.

LA NUIT VA
TOMBER !!

MES
PARENTS,
TOUT COMME
MADAME ET
MONSIEUR
MATSUURA,
ONT DIVORCÉ.

C'EST UNE CHANCE
D'AVOIR TROUVÉ
CETTE MAISON.

ILS ONT
LOUÉ UN
GRANDE
MAISON
POUR
QUE NOU
RESTION
TOUS
ENSEMBL

ÇA
OUI.

TOUTEFOIS, ELLE NE S'APPLIQUE QU'AUX FEMMES.

POUR L'INSTANT, PERSONNE NE S'EST REMARIÉ.

LA LOI IMPOSE UN DÉLAI DE SIX MOIS AUX PERSONNES DIVORCÉES AVANT DE SE REMARIER.

AUJOURD'HUI, POUR L'ÉTAT CIVIL, DES PERSONNES SANS LIEN DE PARENTÉ, QUATRE ADULTES ET LEURS ENFANTS, COHABITENT ENSEMBLE ET FORMENT UNE SEULE ET MÊME FAMILLE...

FRANCHEMENT, C'EST FOU.

À TON AVIS, ON MET L'ARMOIRE ICI ?

OU BIEN SUR LE MUR EN FACE ?

HUM...

JIN, VIENS VOIR !

TOI AUSSI, YÔJI !

CHIYAKO...

Miki

Miki

MIKI !

IL EST BIEN FAMILIER... IL M'APPELLE DÉJÀ PAR MON PRÉNOM !

TU N'ES PAS FATI- GUÉE, HEIN ?

VIENS AVEC MOI FAIRE DES COURSES !

TU T'ES CALMÉE, DIS-MOI.

À TABLE, TU ÉTAIS SUPER EN COLÈRE.

TU T'ES RÉSIGNÉE ?

CE TON DUR NE TE VA PAS. ESSAIE D'EN CHANGER...

PARLE POUR TOI. EN PLUS, TON VISAGE AUSSI EST DUR.

JE SUIS VEXÉE !!

YUU, VIENS VOIR !

EST-CE QUE TU AS DIT QUELQUE CHOSE À MIKI ? ELLE SEMBLE ENCORE FÂCHÉE.

HA ! HA !

JE M'AMUS À LA TAQUI-NER.

...

...YUU...

TU AS TOUJOURS ÉTÉ UN ENFANT FACILE.

ENCORE AUJOURD'HUI, TU NOUS LAISSES FAIRE CE QUE L'ON VEUT, SANS LE MOINDRE REPROCHE.

MAIS EST-CE VRAIMENT BIEN POUR TOI ?

N'ES-TU PAS MALHEU-REUX...?

...NON. SI VOUS ÊTES HEUREUX, JE LE SUIS AUSSI.

YU

MIKI, TU AS FINI DE RANGER TES AFFAIRES ?

PRESQUE.

DIS...

TU SERAS GENTILLE AVEC LES MATSUURA, HEIN ?

...MAIS OUI.

ET AVEC YUU AUSSI ?

OUI.

PAR CONTRE...

...PAS QUESTION DE L'AIMER...

HEIN ?

JE TE DIS QU'IL NE FAUT PAS TOMBER AMOUREUSE DE YUU.

C'EST ASSEZ COMPLIQUÉ COMME ÇA, IL NE FAUDRAIT PAS QUE VOUS VOUS Y METTIEZ TOUS LES DEUX AUSSI... CE SERAIT LA PANIQUE.

ELLE EST GONFLÉE...

À QUI LA FAUTE, HEIN ?

ENTEN- DU ?

COPAIN, COPAIN ?

OUI.

J'... CO... PR...

LE DÎNER VA ÊTRE PRÊT. DESCENDONS MANGER.

O...

QU'EST- CE QU'ELLE CROIT, À LA FIN ?

WOUAH !

C'ES... ROY...!

JE RECONNAIS QU'IL EST BEAU (IL A DÉJÀ FAIT BATTRE MON CŒUR PLUSIEURS FOIS).

TCHIN

MAIS QUI TOMBE-RAIT AMOU-REUSE...

...D'UN GARÇON BIZARRE...

...QUI ACCEPTE UNE SITUATION AUSSI ANOR-MALE...?!

EUH... QU'EST-CE QUE TU FAIS ICI ?

POURQUOI PORTES-TU LE MÊME UNIFORME QUE MOI ...?

COMME C'EST CASSE-PIEDS POUR MOI D'ALLER JUSQU'À YOKOHAMA...

...J'AI CHANGÉ DE LYCÉE.

YUU ?

C'EST TOI ?!

RUMI M'A CONSEILLÉ D'ENTRER DANS UNE ÉCOLE À L'ESPRIT DE CORPS OUVERT POUR ACCÉDER PLUS FACILE-MENT À L'UNIVERSITÉ.

JE N'EN SAVAIS RIEN !!

JE VOULAIS TE LE DIRE, MAIS COMME TU RESTAIS CAMPÉE SUR TES POSITIONS, J'AI LAISSÉ TOMBER.

IL VIENT D'ARRIVER ET IL EST DÉJÀ LA COQUELUCHE DES FILLES.

ENFIN, ÇA SE COMPREND AUSSI AVEC LE LOOK QU'IL A.

POURQUOI FAUT-IL QUE L'ON SOIT DANS LA MÊME ÉCOLE.

DIS, ON PEUT T'APPELER PAR TON PRÉNOM ?

COMME NOUS SOMMES DANS UNE ÉCOLE ANNEXE À L'UNIVERSITÉ PUBLIQUE ET QUE NOUS ÉTUDIONS TOUS ENSEMBLE DEPUIS LE COLLÈGE, ENTRE AMIS, ON S'APPELLE PAR NOS PRÉNOMS.

BIEN SÛR.

JE FERAI DE MÊME

OUAIIIS SUPER...

PFF...

MOI, C'EST ATSUKO.

MOI, MIE.

MIKI !

LE COURT DE TENNIS EST LIBRE, ON S'ENTRAÎNE ?

J'ARRIVE

AH, C'EST TOI QUI ÉTAIS AVEC MIKI CE MATIN...

OUI.

JE M'AP-PELLE MEIKO AKI-ZUKI.

SI TU LA CHERCHES, ELLE EST LÀ-BAS.

...IL EST DANS SA CLASSE ?

OUI.

IL S'APPELL GINTA SUÔ.

C'EST SON PETIT COPAIN ?

NON.

ILS SONT TRÈS AMIS...

...

...DEPUIS L'ENTRÉE AU COLLÈGE.

NON.

ILS VONT SORTIR ENSEM-BLE ALORS ?

M...

QUI PLUS EST, IL PASSE BIEN À LA TÉLÉ.

...JE M'EN FICHE...

C'EST PAS MON GENRE...

PARLONS UN PEU DE TOI, YUU.

AINSI...

IL PARAÎT QUE TU VIENS À L'ÉCOLE ACCOMPAGNÉ D'UNE FILLE.

ÇA EN FAIT JASER BEAU-COUP.

STUDIO

IL S'AGIT DE MIKI, N'EST-CE PAS...?

OUI, MIKI KOISHIKAWA ! ELLE EST DANS MA CLASSE.

C'EST BIEN ELLE.

QUELLES SONT VOS RELA-TIONS...?

miki

CE N'EST PAS TOUT À FAIT JUSTE.

ÇA SUFFIT !!

J'AURAIS TELLEMENT HONTE QUE LES AUTRES ÉLÈVES SACHENT LA VÉRITÉ. JE SÉCHERAIS LES COURS...

D'APRÈS CE QUE JE COMPRENDS, LES DEUX FAMILLES AYANT SYMPATHISÉ...

...YUU ET MIKI SERAIENT INTIMES...

J'AI DIT QU'ON AVAIT UNIQUEMENT L'ADRESSE EN COMMUN !

C'EST UNE ADAPTATION LIBRE !

EN GÉNÉRAL, TON MISSION EST SÉRIEUSE.

QUELLE IDÉE T'AS EUE DE MONTRER CETTE PHOTO ?!

HA !

WAAH... EXCUSE-MOI.

HA !

BON, JE PEUX RENTRER ? JE N'AI PAS ENCORE DÉJEUNÉ.

ENCORE UNE MINUTE...

YIIHA

HA HA

HA HA

OH, REGARDEZ LA TRONCHE QU'IL FAIT !

MIKI L'A DÉSTABILISÉ !

C'EST TROP DRÔLE !

PFF...

C'EST RIDICU-LE.

QUOI ?!

VOU M'AVE FAN HONT TOU LES DEUX

N'ACCUSE PAS LES AUTRES.

TU ES RESPONSABLE DE TOUT CE CIRQUE.

C'EST MOI QUI ÉTAIS GÊNE.

MAIS ENFIN !!

QUI A PARL DE NOT SITUATIO FAMILIA SINON TOI ?

ET ALORS ?

ÇA NE SE FAIT PAS !

KOISHI-KAWA !

JE VOUS AI VUS À LA TÉLÉ.

VOUS AVEZ MIS LE PAQUET, DITES DONC !

M'SIEUR NA !

ENFIN, C'ÉTAIT ASSEZ MARRANT. IL FAUDRA RECOMMENCER !

...N'INSISTEZ PAS.

...COUTEZ !

VOUS ÊTES LE PROFESSEUR RESPONSABLE DE NOTRE CLASSE, DONC LE SEUL À SAVOIR CE QUI SE PASSE CHEZ NOUS.

JE VOUS EN PRIE, N'EN PARLEZ À PERSONNE !!

ENTENDU...

J'AI COMPRIS.

CELA NE DOIT PAS ÊTRE TOUJOURS DRÔLE POUR VOUS... BON COURAGE.

SI JE PEUX VOUS AIDER, N'HÉSITEZ PAS.

OUAIS !

MERCI.

51

IL S'APPELLE NAMURA...

ET TOI TU L'APPELLES NA ?

OUI.

C'EST UN EXCELLENT PROFESSEUR. TOUT LE MONDE L'ADORE.

COMM IL ES JEUNE NE PE PAS TOUJOU NOU AIDER

C'ES AUSSI RESPO SABLE CLUB TENNI

À PROPOS, TU PRATIQUES QUEL SPORT, TOI ?

EN FAIT...

JE PRATIQUAIS LE TENNIS AU COL- LÈGE...

C'EST PAS VRAI !

S'IL TE PLAÎT, FAIS AUTRE CHOSE !!

T'ES DÉSA- GRÉABLE.

N'A P BE DE

DE D

JE N'AI PAS ENVIE DE JOUER AU TENNIS DANS CE LYCÉE.

ÇA NE M'INTÉ- RESSAIT DÉJÀ PAS DANS LE PRÉCÉ- DENT.

AH...

POUR- QUOI ?

JE NE VEUX PAS AVOIR DE CONTRAINTE HORAIRES

E OUTR Y A TAS CHO QUE ENVIE FAI

QUOI, DU VÉLO...?

BACHO- TER ?

...

OUAIS, C'EST ÇA.

...M...

IL N'Y A PAS D'EXAMEN D'ENTRÉE DANS NOTRE UNIVER- SITÉ...

IL VEUT PEUT-ÊTRE ALLER AILLEURS...

ENFIN, C'EST PAS VRAIMENT LE PROPOS DU MOMENT.

DIS...

C'EST QUOI, CE BÂTI- MENT ?

...

LE- QUEL ? AH...

C'EST LA BIBLIO- THÈQUE.

FREETALK

J'AI DONNÉ À L'HÉROÏNE LE PRÉNOM D'UN MANNEQUIN, MIKI YOSHIDA. CELLE-CI POSAIT DANS UNE REVUE INTITULÉE "MC SISTER", ET À CETTE ÉPOQUE ELLE EN ÉTAIT LE MANNEQUIN PHARE. ELLE FAISAIT LA COUVERTURE ET LA RUBRIQUE DO ! FAMILY. COMME ELLE ÉTAIT TRÈS MIGNONNE, J'EN ÉTAIS DINGUE. J'AIMAIS BEAUCOUP AUSSI SON PRÉNOM ET JE VOULAIS L'UTILISER UN JOUR OU L'AUTRE. TOUTEFOIS, COMME IL RESSEMBLAIT À CELUI DE L'HÉROÏNE DE LA SÉRIE PRÉCÉDENTE, MOI, J'AI PENSÉ QU'IL VALAIT MIEUX EN TROUVER UN COMPLÈTEMENT DIFFÉRENT. ET PUIS, LORSQUE MON PERSONNAGE A ÉTÉ POSÉ (EN FAIT, LE PRÉNOM DE MIKI COLLE PARFAITEMENT AU PERSONNAGE...) J'AI FINALEMENT OPTÉ POUR CE PRÉNOM.

COMME JE M'Y ATTENDAIS, J'AI REÇU UNE TONNE DE LETTRES ME DEMANDANT "AIMEZ- VOUS LES PRÉNOMS EN MI ?" (J'AI AUSSI UTILISÉ LE PRÉNOM MIKAKO). PAS SPÉCIALEMENT. JE PENSE QUE LE PRÉNOM DE L'HÉROÏNE DE MA PROCHAINE SÉRIE SERA AUTRE.

53

OH... IL Y A UNE BIBLIOTHÈQUE DANS L'ÉCOLE ?

C'EST POUR ÇA QU'IL N'Y A PAS DE SALLE DE LECTURE.

COMME LA PLUPART DES LIVRES SONT ANCIENS, PEU D'ÉLÈVES LA FRÉQUENTENT.

MEIKO Y VA D... TEMPS EN TEMP... PARCE... QU'ELL... FAIT PAR... DU CERC... DE LITT... RATUR...

EUH, TU N'AS PAS ENCORE DÉJEUNÉ, N'EST-CE PAS ? SI TU NE TE DÉPÊCHES PAS, LA CLOCHE VA SONNER...

AH...

ÇA V... JE SE... LA C... QUE... HEU... DE COU...

HEIN ?!

APRÈS, J'AI ÉDUCATION PHYSIQUE.

SA...

EUH, ATTENDS...

RAH...

DING DONG

DING DONG

C'EST BEAU, ICI...

ÇA ME PLAÎT.

PAM

PAM

PAM

ZWTT

LE VOILÀ.

EFFECTIVE-MENT, IL EST REVENU.

OÙ A-T-IL PU ALLER ?

UNE FOIS DE PLUS, SON COMPOR-TEMENT N'EST PAS CLAIR.

MI

N

QUOI ?

POURQUOI NOUS AS-TU CACHÉ QUE TU HABITAIS AVEC YUU ?

ON A CRU QUE C'ÉTAIT UN VIEUX COPAIN À TOI...

OH...

À QUOI BON EN PARLER.

NOS PARENTS ONT SYMPATHISÉ, C'EST TOUT.

IL N'Y A RIEN À RAJOU-TER.

VE NARD JE VE BIE PREN TA PL MO

OH...

IL SE DÉBROUILLE BIEN.

CE TYPE E DÉPLAISA

SI ÇA SE TROUVE, IL JOUAIT BIEN AU TENNIS.

...PAS DU TOUT.

IL M'A DÉJÀ REMBARRÉE.

C'EST FAUX.

EXCUSE-MOI.

JE NE SAVAIS PAS...

TWIII TWIII

DEUXIÈME GROUPE, SUR LE COURT !

AH BON... ?

IDIOTE ! TOUT LE MONDE EST AU COURANT.

MAIS EN... ILS TP PRO...

MIKI...

...J'AI OUBLIÉ TE DIR QUELQU CHOSE

OUI ?

J'AI RACONT À YUU C QUI S'ÉT PASSÉ ENTRE T ET GINT

EXCUSE-MOI. ÇA M'A ÉCHAP-PÉ...

TU M'EN VEUX, N'EST-CE PAS ?

PAS DU TOUT. C'EST UNE VIEILLE HISTOIRE !

ÇA NE ME FAIT PLUS RIEN.

S DE L

ÇA JE D

QU'EST-CE QUE TU LUI TROUVES, À GINTA ?

FREETALK

SI JE NE RÉPONDS PAS À TOUTES VOS LETTRES, EN REVANCHE, JE LES LIS TOUTES (JE VOUS REMERCIE DE M'ENVOYER AUTANT DE COURRIER CHAQUE MOIS). J'AI NOTÉ QUE VOUS AVIEZ SOUVENT ÉCRIT MON NOM, PRÉNOM OU CEUX DES DEUX HÉROS DE FAÇON ERRONÉE. J'AI MÊME EU DROIT À YOSHIMIZU.

CES FAUTES N'ONT RIEN DE DRÔLE, MAIS CERTAINES M'ONT AMUSÉ. PAR EXEMPLE, AVOIR ÉCRIT GINTA AVEC UN IDÉOGRAMME NON APPROPRIÉ POUR UN PRÉNOM OU ENCORE CONTA AU LIEU DE GINTA. OÙ EST LE RAPPORT ? LE POMPON REVENANT À LA PERSONNE QUI A ÉCRIT "ÉLÈVE" AVEC LE CARACTÈRE DE "MAÎTRE".

EUH, EH BIEN...

ICE CREAM

C'EST PLUTÔT UN DÉFAUT, ÇA.

IL EST IMPATIENT ET IL S'ENFLAMME RAPIDEMENT...

...IL EST AUSSI SENSIBLE AUX FLATTERIES ET BONNE POIRE...

DE TOUTE FAÇON, J'AIME TOUT CHEZ LUI.

S'IL POUVAIT RESSENTIR LA MÊME CHOSE POUR MOI...

LIVRE-TOI !

SLURP

HA

63

AH NON... JE NE PEUX PAS...

J'AI TROP PEUR.

POURQUOI JE SUIS SÛRE QUE ÇA MARCHERA.

VOUS VOUS ENTENDE TROP BIEN.

HM... JE NE PENSE PAS QU'IL ME DÉTESTE...

C'EST DU TOUT CUIT, JE T'ASSURE.

VAS-FONC

CE N'EST PAS FACILE À DIRE.

ENFIN. MEIKO...

COMMENT LUI AVOUER QUE JE L'AIME ?

J'EN AI PAS LE COURAGE...

SI JAMAIS IL NE M'AIMAIT PAS...

JE N'AI AUCUNE ENVIE DE LE SAVOIR.

IL A BEAUCOUP DE COPAINS AU CLUB...

...MAIS C'EST À MOI QU'IL LE DONNE.

À MOI SEULE.

GINTA...

EST-CE QUE...

...TU RÉPONDA À MON ATTENTE.

HEIN...?

TU LUI A ÉCRIT UNE LETTRE D'AMOUR ?!

MIKI...

JE NE PEUX PAS LUI EN VOULOIR POUR ÇA.

JE SUIS JUSTE UNE AMIE POUR LUI.

PAR CONTRE...

...EN MONTRANT MA LETTRE À TOUS SES COPAINS...

IL M'A RIDICULISÉE!

C'EST DÉGOÛTANT!

JE SUIS TELLEMENT DÉÇUE!

QUEL IMBÉCILE !!

OH ?

TU N'AS [...] CHAN[...] DE COUP[...]

POUR-QUOI ?

C'EST LA RÈGLE DE SE COUPER LES CHEVEUX APRÈS UN ÉCHEC AMOUREUX.

...

TU M'A[...] L'A[...] RÉ[...] JOU[...]

C'EST NORMAL.

GINTA NE M'A PAS PRIS MA COPINE.

HÉ HO...

ÇA NE TE CONSO-LE PAS POUR AUTANT.

FAIS DES EFFORTS POUR TE MONTRER GAIE...

MEIKO..

...JE P[...] FÉRER[...] QUE [...] TROUV[...] UN AU[...] MOYE[...]

AUJOUR-D'HUI, JE PENSAIS ARRÊTER DÉFINITI-VEMENT L'ÉCOLE.

JE VOULAIS VRAIMENT LE FAIRE...

ET PUIS, JE ME SUIS DIT QUE CE N'ÉTAIT PAS LE BON CHOIX.

HA HA HA

C'[...] TO[...] C[...]

COUPE
TES
CHEVEUX,
ÇA TE
CHANGERA
LES
IDÉES.

TU
PLAISANTES !
SI JE LES
COUPE PLUS
COURT QUE
ÇA...

...JE VAIS
RESSEM-
BLER À UN
BONZE.

OUAH

WHA HAA HAAA !

WAH

GINTA, QU'EST-CE QUI T'EST ARRIVÉ ?

HA HA

UN BONZE...

ON DIRAIT UN SINGE.

OH LÀ LÀ...

QU'EST-CE QUI LUI A PRIS ?

...IL S'EST COUPÉ LES CHE-VEUX, LUI.

...SANS DOUTE POUR SE FAIRE PARDON-NER.

IL EST COMME ÇA...

À CE MOMENT-LÀ GINTA BAISSAIT LES YEUX ET SERRAIT LES DENTS...

...IL SEMBLAIT BEAUCOUP PLUS AFFECTÉ QUE MOI...

ÇA ME REND NOSTALGIQUE. C'EST LOIN TOUT ÇA.

MEIKO EST EN TRAIN DE JOUER.

ON NE S'EST PLUS PARLÉS PENDANT UN AN. LA SITUATION NE S'AMÉLIORAIT PAS LORSQUE...

...UN JOUR, IL S'EST MIS À ME REPARLER COMME SI RIEN NE S'ÉTAIT PASSÉ.

TU SAIS, AU LYCÉE, NOUS SERONS DANS LA MÊME CLASSE.

MEIKO, AUSSI.

LA CLASSE B.

TOUT EN ME DISANT "QU'EST-CE QUI LUI PREND ?", JE LUI AI RÉPONDU COMME SI DE RIEN N'ÉTAIT...

AH, LES PLACES SONT DÉJÀ ATTRI-BUÉES ?

JE VAIS ALLER VOIR LE PANNEAU D'AFFICHAGE.

À PARTIR DE CE MOMENT-LÀ, LA CONVERSATION S'EST ANIMÉE.

ET SANS S'EN RENDRE COMPTE, ON SE REPARLAIT COMME AVANT.

BAH, JE NE SUIS PLUS DU TOUT AMOUREUSE DE LUI.

JE SUIS SIMPLEMENT CONTENTE QUE NOUS SOYONS DE NOUVEAU AMIS.

AAAH ! MIKI !

ATTEN-TION !!

HE

B O M

YIIHA

MIKI

OUI...

BEAUCOUP MIEUX...

ÇA VA ?

JE VAIS CHERCHER TES AFFAIRES ET TON SAC.

OUI. MER-CI...

J'ÉTAIS PLONGÉE DANS MES PENSÉES...

AH, J'AI HONTE.

TAP TAP

77

OH, MATSUURA.

QUOI ? YUU ?!!

OH NON, IL VA ENCORE RIGOLER DE MOI.

HA HA

COM-MENT VA-T-ELLE ?

BEAU-COUP MIEUX.

JE REVIENS. JE VAIS CHERCHER SES AFFAI-RES.

T'ES STUPI-DE ET MALA-DROITE !

JE SUIS COINCÉE...

MIKI !

TANT PIS.

JE VAIS FAIRE SEM-BLANT DE DORMIR.

IL NE VA TOUT DE MÊME PAS RÉVEILLER UNE MALADE !

QUOIQUE, IL EST CAPABLE DE TOUT...

DEBOUT FEIGNASSE !

･･･

TAP
TAP

...C'EST L'HEURE DU DÎNER.

DIRE QU'IL VA FALLOIR QUE J'AFFRONTE LE REGARD DE YUU...

J'Y AI ÉCHAPPÉ HIER SOIR EN SAUTANT LE DÎNER POUR RESTER DANS MA CHAMBRE.

POUR-QUOI A-T-IL FAIT ÇA ?

HÉÉÉ

MAMA MIA.

QUELLE ATTITUDE DOIS-JE ADOPTER ?

You

IL Y A LONG-TEMPS QU'ILS SONT PARTIS AU BOULOT.

AH... OUI.

BIEN SÛR...

C'EST BIEN POUR NOUS D'HABITER PRÈS DE L'ÉCOLE.

AU FAIT...

IL EST EMPLOYÉ DE BANQUE.

IL EST COMMERCIAL.

ELLE EST EMPLOYÉE CHEZ UN FABRICANT DE PRODUITS COSMÉTIQUES.

ELLE EST EMPLOYÉE CHEZ UN FABRICANT D'ALCOOL.

...

HMM

QUOI ?

TU VEUX LIRE LE JOURNAL ?

NON NON... PAS SPÉCIA-LEMENT...

C'EST DE LA CONFITURE D'ORANGES ?

JE N'AIME PAS TELLEMENT ÇA...

N'EN DEMANDE PAS DE TROP.

MAIS ENFIN, C'EST AMER L'ÉCORCE D'ORANGE...

OH...

IL NE RESTE QUE ÇA.

IL N'Y EN A PLUS.

...

LA CONFITURE D'ORANGES ET TOI, C'EST KIF-KIF...

PAR-DON ?

C'EST TRÈS AMER, MAIS...

...ÇA TROMPE SON MONDE PARCE QU'IL Y A BEAUCOUP DE SUCRE DEDANS.

"MAR-MALADE BOY" !

ÇA TE VA BIEN, NON ?

TU PEUX DESCENDRE ?

J'AI PRÉPARÉ UN BON GÂTEAU.

TU ÉTUDIAIS ?

HM... J'AI DES EXERCICES À FAIRE. MAIS JE N'Y COMPRENDS RIEN...

YOJI EST BON EN MATHS.

SI TU VEUX, IL PEUT T'AIDER PENDANT QUE TU DÉGUSTES MON GÂTEAU.

C'EST VRAI ?

DAN CE CA J'ARRI

DUM DUM

DUM

DUM

ALLEZ, ALLEZ.

PLUS À DROITE ! À DROITE !

BAAM

PFF...

HA HA HA

TU N'ES VRAIMENT PAS DOUÉ...

...CE QUI PERMET DE TROUVER LA SOLUTION...

...N'EST-CE PAS ?

WAAA

J'A COMP

HA...

BAM

ET TOI

EUH...

MERCI BEAU- COUP POUR TES EXPLICA- TIONS.

JE PEUX FINIR TOUTE SEULE MAINTENANT.

TU PRENDS ENCORE DU THÉ ?

NON MERCI !

EXCU- SEZ- MOI !

BON, JE T'ATTENDS À L'ENTRÉE.

PRES- QUE.

...

TU AS FINI DE FAIRE LE MÉNAGE ?

VOUS RENTREZ NSEMBLE, JE VOIS.

PFF...

DÉTROMPE- TOI !! C'EST PAS CE QUE TU CROIS !

C'EST 'ANNIVERSAIRE DE MAMAN AUJOURD'HUI ! ON VA LUI ACHETER UN CADEAU À DEUX.

TOUTE JLE, JE NE 'RRAI LUI 'RIR QU'UN 'UC BON 'ARCHÉ...

HM...

RIEN D'AUTRE !

HÉ HÉ

97

99

ON DIRAIT...

...QU'IL Y A DE LA DISPUTE DANS L'AIR...

QUI PLUS E IL SEMBL QUE CE SC SÉRIEUX.

JE CROIS QUE C'EST PAS LE MOMENT DE FÊTER SON ANNIVER- SAIRE...

COMMENT ON VA FAIRE POUR LE DÎNER ?

J'AI FAIM.

QUE LEUR ARRIVE- T-IL...?

JUSQU'ICI TOUT ALLAIT TRÈS BIEN.

IL DÛ PASS QUEL CHO

...

C'EST JUSTE UNE IMPRESSION...

...MAIS IL SEMBLE QUE MES PARENTS ET LES MIENS AIENT DES AVIS DIVERGENTS.

C'EST JIN QUI L'A DIT.

AH BON...

CE QUI EXPLIQUE-RAIT LEURS QUERELLES.

C'EST BÊTANT QUE CE SOIT SÉRIEUX.

SI JAMAIS ILS RESTENT FÂCHÉS...

ÇA...

TU AS UN PRO- BLEME ?

GLOUPS

NON.

PA...
TO...

TOUT VA TRÈS BIEN...

JE N'EN
PEUX
PLUS.

JE NE
SUPPORTE
PLUS DE
VIVRE
AINSI !!

ÉVI-
DEM-
MENT...

ON
N'EFFACE
PAS SEIZE
ANNÉES DE
MARIAGE.

C'EST
DIFFICILE
DE CHANGER
DE CONJOINT
APRÈS
TOUTES CES
ANNÉES
PASSÉES
ENSEMBLE.

C'EST
VRAI.

ARRÊTONS
DE VIVRE
ENSEMBLE.

QUOI...?!

ÉCOU-
TEZ...

VOYONS...

MIKI...

JE
SUIS
DÉSO-
LÉ.

CE
ÉTAIT
PAS
SON-
BLE.

MALGRÉ TON
DÉSACCORD,
NOUS AVONS
VOULU VIVRE
ENSEMBLE...

...POUR
FINALEMENT
NOUS FAIRE
DU MAL...

C'EST
FINI...
?

UNE
CHANCE
QUE LE
CHANGEMENT
D'IDENTITÉ
N'AIT PAS
ENCORE ÉTÉ
FAIT.

OUI.

FREETALK

ÉTUDIANT, J'ÉTAIS
MEMBRE DU CLUB DE
TENNIS. J'ADORAIS CE
SPORT. C'EST LA
RAISON POUR
LAQUELLE MIKI ET
GINTA LE PRATIQUENT.
COMME CE N'ÉTAIT
PAS LE NOEUD DE
L'HISTOIRE, JE N'AI
PAS PARLÉ DES
AUTRES ACTIVITÉS,
PAR EXEMPLE CELLE
DE MEIKO, MAIS JE
LE REGRETTE. JE ME
SENS TOUT À FAIT
CAPABLE DE PARLER
DU RAMASSAGE
DE BALLES, DE
L'ENTRAÎNEMENT,
DES RÈGLES DU JEU.
TOUTEFOIS, DEPUIS
QUE JE TRAVAILLE,
JE N'AI PLUS LE TEMPS
DE JOUER AU TENNIS,
JE REGARDE DONC LES
MATCHS À LA TÉLÉ.
JE ME SUIS ABONNÉ
À CANAL WOWOW
(LES FILMS ÉTANT
SOUS-TITRÉS, JE
NE PEUX PAS LES
REGARDER
EN TRAVAILLANT.
JE NE PENSAIS DONC
PAS M'ABONNER,
ET PUIS JE L'AI FAIT
POUR LE TENNIS). JE
N'AI PAS ENCORE EU
LE TEMPS D'ALLER
RÉCUPÉRER UN
DÉCODEUR !! J'AI
DÉJÀ PERDU UN
MOIS ET J'AI RATÉ
LA COUPE DAVIS...
OUIN... IL FAUT QUE
JE ME DÉBROUILLE
POUR SUIVRE L'OPEN
D'AUSTRALIE
EN JANVIER...

RECOM-
MENÇONS
À VIVRE
COMME
AVANT.

NOUS
DEVONS
NOUS
SÉPARER.

ET NE
PLUS
JAMAIS
NOUS
REVOIR.

OUI.

C'E
MIE
AI

S...

STOP!
VOUS
ALLEZ
TROP VITE!

QU'EST-
QUI VO
PREN
TOUT
COUP

ÇA
SIGNI-
FIE...

...QUE
JE VAIS
DEVOIR
CHANGER
DE LYCÉE
?

JE LE
REGRETTE,
YUU...

CEPENDANT,
IL EST
PRÉFÉRABLE
DE NE PLUS
VOUS VOIR...

MAINTE-
NANT
QUE JE
SUIS
BIEN
NTÈGRÉ
ICI...

LA
BARBE !

...IL FAUT
QUE JE
RETOURNE À
MON ANCIEN
LYCÉE.

UN
INSTANT !!

...

107

FREETALK

CES JOURS-CI, J'AI ACHETÉ "RECALL" LE MEILLEUR CD DE SAORI MINAMI. DANS MA JEUNESSE, C'ÉTAIT UNE CHANTEUSE TRÈS EN VOGUE, ET CHISATO TAKAMORI A REPRIS SA CHANSON "À 17 ANS". QUAND J'ÉCOUTE CE DISQUE, JE DEVIENS NOSTALGIQUE (AH, J'AVAIS COMPLÈTEMENT OUBLIÉ CETTE CHANSON... JE L'ADORAIS À L'ÉPOQUE). "GÉNÉRATION MEURTRIE" EST LE TITRE D'UNE DES CHANSONS ET JE VOYAIS BIEN MIKI ET YUU LA CHANTER. SANS ALLER JUSQU'À DIRE QUE CETTE CHANSON ÉTAIT FAITE POUR EUX, J'ÉTAIS CONTENTE DE TROUVER UNE CHANSON QUI CORRESPONDE BIEN AUX PERSONNAGES. LE TITRE EST UN PEU DUR MAIS CE N'EST PAS LE CAS DE LA CHANSON. ÉCOUTEZ-LA !

C'EST VRAIIIII ?!

TANT MIEUX !!

WAAM

HEIN ?

PARDON ?

PLAÎT-IL ?

COMME ON S'IN-QUIÉTAIT DE SAVOIR...

...SI TU ACCEPTAIS OUI OU NON CETTE SITUATION, ON A MONTÉ CE PETIT SKETCH ! NOUS SOMMES DÉSOLÉS DE T'AVOIR BOUSCULÉ PAREILLEMENT...

TU T'ENTÊTAIS ET TU REFUSAIS DE T'ADAPTER À LA SITUATION, N'EST-CE PAS ?

ENFIN, MERCI D'AVOIR ÉTÉ FRANCHE !

QUOI... ?

VOUS AVEZ TOUS...

...JOUÉ LA CO-MÉDIE... ?

OUI PAR DONN NOU

EN FAIT NOUS N'AVON AUCUNE RAISON DE NOU DISPUTE

TOUT FONC-TIONNE BIEN ENTRE NOUS

110

VRAIMENT, C'EST TROP NUL DE TROMPER LES GENS AINSI !

J'EN AI MARRE. JE VAIS PARTIR D'ICI !!

C'EST CLAIR !!

ENFIN, 'AS DANS MMÉDIAT... E N'AI PAS 'ARGENT.

GYAAH

GYAAH

JE LEUR DEMAN-DERAI DE M'ENVOYER DE L'ARGENT ET ILS NE POURRONT RIEN DIRE.

LE PRO-BLÈME, C'EST QUE JE NE SERAI PLUS AVEC MEIKO... PAS QUES-TION...

JE SAIS !! JE VAIS ALLER DANS UNE UNIVER-SITÉ EN PROVINCE.

LE VRAI VISAGE DE MIKI.

GYAAH

'OM BOM

GLUPS

MIKI !

OUVRE-MOI !

ILS ONT MIS LE PAQUET...

...CETTE FOIS.

...

ILS T'ONT MENTI POUR TE METTRE À L'ÉPREUVE...

...ET FINALEMENT, ILS T'ONT BLESSÉE...

JE COMPRENDS QUE TU LEUR EN VEUILLES.

EN RÉALITÉ...

...NOS PARENTS...

...NE VOULAIENT PAS QUE TU TE SENTES OBLIGÉE D'ACCEPTER CETTE SITUATION.

D'HABI-
TUDE...

...IL SE
MOQUE
DE MOI...

...MAIS LÀ,
IL EST
ADORABLE.

JE SUIS
TROUBLÉE.

MIKI !

EXCUSE-NOUS...

ÇA VA.

C'EST FINI.

POUR LE DÎNER DE DEMAIN SOIR, C'EST MOI QUI ÉTABLIS LE MENU

WAAAH

OUF !

YUU, MERCI POUR TON AIDE !

PAR-DONNE-MOI, MIKI !

E FAI

JE NE POUVAIS
PAS SUPPORTER
DE NE PLUS LE VOIR.

JE NE VOULAIS PAS
ME SÉPARER DE LUI.

JE N'ARRIVAIS PAS
À LE SAISIR...

...ET POURTANT...
SANS QUE JE
M'EN RENDE
COMPTE...

...IL
OCCUPAIT
DANS MA
VIE...

...UNE
PLACE
PLUS
GRANDE
QUE JE
L'AURAIS
JAMAIS
PENSÉ.

PENDANT LES VACANCES D'ÉTÉ...

LE CLUB RESTE OUVERT PENDANT LES VACANCES.

PAS MAL, ISHIKAWA.

TON SERVICE EST PLUS PUISSANT.

IL FAUT JUSTE L'ASSURER DAVANTAGE.

D'AC-CORD.

OH...

YUU... ?!

QU'EST-CE QUE TU FAIS ICI ?

TU N'ES PAS INSCRIT DANS UN CLUB...

JE SUIS VENU TE VOIR EN JUPETTE.

QUOI ?!

RAAAH.

MAIS NON !

...

IL EST ODIEUX.

OÙ EST PASSÉE SA GENTILLESSE DU MOIS DERNIER...?

Ginta

VOYONS...

QUE
VIENT-IL
FAIRE
PAR ICI...?

KASHI Twin Towers
1989...

MATSU-URA !

AKI-ZUKI ?

JE NE PENSAIS PAS TE RENCON-TRER ICI.

TRÈS PEU DE GENS FRÉQUEN-TENT LA BIBLIO-THÈQUE.

C'EST CE QUE JE VOIS.

MOI, SI.

JE M'IN-TÉRES-SES AUX BÂTIMEN ANCIEN

MOI AUSSI, J'AIME BEAU-COUP CET ENDROIT.

IL EST SI REPOSANT.

OUI, J'AI UNE RÉUNION.

J'EN PROFITE POUR RECUEILLIR DES DOCUMENTS.

TU VAS AU CLUB ?

MAIS OUI, TU ES AU CLUB DE LITTÉRATURE.

ÉCRIRAIS-TU UN ROMAN ?

OH NON, JE NE FAIS PAS DE RECHERCHES.

J'AIME LIRE, C'EST TOUT...

JE GLANE DE L'INFO SUR MES AUTEURS PRÉFÉRÉS ET JE LA TRAITE...

TU ÉCRIS DES ESSAIS, ALORS.

NON, JE N'AI PAS CETTE PRÉTENTION.

J'AI JUSTE PONDU UN PETIT COMPTE-RENDU.

...SSE-LE-MOI LA ...OCHAINE FOIS.

OK !

VOILÀ

MURMURE

École Annexe de l'Université
Littérature

JE VIENS DE VOIR MATSUURA À LA BIBLIOTHÈQUE.

AH BON ?!

VOILÀ OÙ IL ALLAIT...

MAIS POUR QUOI FAIRE ?

TES VACANCES SE PASSENT BIEN ?

PENDANT QUE VOS PARENTS SONT AU TRAVAIL, VOUS RESTEZ BIEN SEULS TOUS LES DEUX, NON ?

COMMENT ÇA ?

FINALEMENT, VOUS AVEZ SYMPATHISÉ ?

OUI... ÇA VA...

EN TOUT CAS, ON NE SE VOIT PAS BEAUCOUP.

JE SUIS OCCUPÉE AVEC LE CLUB ET LUI IL FAIT DU VÉLO. DE CE FAIT, ON EST RAREMENT ENSEMBLE À LA MAISON.

L'AUTRE JOUR, IL EST PARTI EN VOYAGE TOUT SEUL...

ON SE VOIT PRESQUE MOINS SOUVENT QUE PENDANT LE RESTE DE L'ANNÉE.

HMM.

TU SEMBLES LE REGRETTER.

ÇA M'EST...

...EGAL.

EN FAIT.

NON.

PAS DU TOUT !!

JE PENSAIS...

...PROFITER DES VACANCES POUR APPRENDRE À LE CONNAÎTRE...

MAIS, FIDÈLE À LUI-MÊME, IL RESTE RÉSERVÉ.

IL NE PARLE NI DE SES SORTIES À VÉLO, NI DE SON VOYAGE.

DANS UN SENS...

IL RESSEMBLE UN PEU À MEIKO.

IL A TOUJOURS LE SOURIRE AUX LÈVRES MAIS IL CACHE SES SENTIMENTS...

NOUS SOMMES AMIES DEPUIS LA SIXIÈME.

ET POURTANT, JE LA TROUVE TOUJOURS SECRÈTE...

HMM

OH LÀ LÀ, JE DÉLIRE, MOI.

EXCUSE-MOI !!

PAR- DON ?

JE COMPARE MA GRANDE AMIE À CE PHÉNOMÈNE !!

LE WONDER DOG ?

AH... C'EST LE NOM DU NOUVEAU PARC D'ATTRAC- TIONS.

EXACT.

LA BRASSERIE QUI SE TROUVE À L'INTÉRIEUR DU PARC EST GÉRÉE PAR NOUS.

NOTRE SOCIÉTÉ NOUS OFFRE DES BILLETS D'ENTRÉE.

ÇA VOUS INTÉ- RESSE ?

OUAIS !!

WAAAAH... JE VOULAIS JUSTEMENT Y ALLER.

♡

HUM.

ÇA A L'AIR COOL.

TU VAS AU CLUB DEMAIN ?

NON ...

IL Y A BEAU- COUP DE NOUVEAUX JEUX DE SIMULA- TION.

ON VA Y FAIRE UN TOUR ?

OH, REGARDE-MOI ÇA !

IL EST SUPER MIGNON !!

TU TROU-VES ?

IL EST TROP !

JE LE VEUX...

J'AI COMPRIS...

JE VAIS TE L'ATTRA-PER.

S'IL POUVAIT TOUJOURS...

JE SUIS UN PRO À CE JEU.

...ÊTRE AUSSI AIMABLE.

C'EST VRAI ?!

GAGNÉ !!

...

C'EST PAS LUI QUE JE VOULAIS !!

HEIN ?!

TU AS POURTANT DIT QUE TU LE TROUVAIS MIGNON !

PAS CELUI-LÀ...

GNAAGNAA GNAAGNAA GNAA

...

OOH...

C'EST BEAU.

N'EST-CE PAS ?

TIENS...

FTCH

IL A PRIS UN AUTRE CHEMIN...

TANT PIS.

EH ?

VIENS DE PASSER PAR LÀ

OH NON.

JE SUIS BLOQUÉE.

LOVELY KATCHAN !! ♥

COMME IL Y TIENT ABSOLUMENT, JE LUI AI PROMIS DE SORTIR AVEC LUI DEUX OU TROIS FOIS. C'EST TOUT.

MAIS JE M'ENNUIE DÉJÀ AVEC LUI.

C'EST TOI...

...MON PRÉFÉRÉ.

GNAA

BYE !

JE T'APPELLE !

OUPS.

ELLE N'A PAS CHANGÉ D'UN POUCE...

...CEL LÀ

C'EST QUI, CETTE FILLE ?!

"C'EST TOI MON PRÉFÉRÉ...

...C'EST BIEN CE QU'ELLE A DIT, N'EST-CE PAS...?

OUAIS.

ON EST SORTIS ENSEMBLE EN QUATRIÈME...

HM...

HUM...

JE M'EN DOUTAIS...

CHOC

AH BON...?

ON N'EST RESTÉS UE TROIS MOIS NSEMBLE, MAIS...

...ON A EU LE TEMPS DE TOUT FAIRE...

GLUPS !

DOOOONG

A

B

C

DE... DE TOUT FAIRE ?!

OUAIS.

FÊTER NOËL...

...LA SAINT-VALENTIN, NOS ANNI-VERSAIRES...

TOUTES LES OCCASIONS POUR SE RETROUVER, QUOI...

AAH...

C'EST JUSTE ÇA...

...

QU'EST-CE TU AVAIS IMAGINÉ ?

RIEN... DU TOUT !!

PETITE VICIEUSE !!

TU VOULAIS SAVOIR CE QU'ON A FAIT ENSEMBLE, N'EST-CE PAS ?

PAS DU TOUT !!

ARRÊTE !!

143

POU...

POUR-
QUOI...

...AS-
TU FAIT
ÇA ?

...

POUR-
QUOI ?

DISONS
QUE J'AI
ÉTÉ TENTÉ
PAR LE
DIABLE...

...

MAIS NON,
JE PLAISANTE
!!

PARCE
QUE JE
T'AIME,
VOYONS.

NE
PLAI-
SANTE
PAS
!!

PAF

JE TROUVE ÇA BIEN, MOI.

JE PENSE QU'IL EST PLUS SÉRIEUX QU'IL NE LE MONTRE.

JE SERAIS CONTENTE QU'ELLE SOIT HEUREUSE EN AMOUR.

PAR CONTRE...

...J'AI L'IMPRESSION QUE LEUR RELATION T[E] DÉRANGE DEPUIS LE DÉBUT.

NE VA PAS FAIRE DES HISTOIRES.

TU N'EN AS AUCUN DROIT !!

CLIC

GINTA...

OUI...

TU AS FERMÉ TOUTES LES FENÊTRES ?

BON, IL NE RESTE PLUS QU'À REMPLIR LE JOURNAL DE BORD.

C'EST AGAÇANT, DÈS LA RENTRÉE, JE SUIS DE SERVICE DE SEMAINE.

NE TE PLAINS PAS, C'EST UNE PETITE SEMAINE.

AUJOUR- D'HUI, SUZUKI ÉTAIT ABSENTE...

ARIMI SUZUKI...

ELLE AVAIT TÉLÉ- PHONÉ PLUSIEURS FOIS À YUU.

ELLE ESPÈRE
ENCORE SORTIR
AVEC YUU...

MAIS LUI...

...QU'EN
PENSE-T-IL ?

POURQUOI SE
SONT-ILS
QUITTÉS ?

SE SONT-ILS
DISPUTÉS...?
OU ÇA S'EST FINI
NATURELLEMENT...?

"ON A EU
LE TEMPS DE
TOUT FAIRE."

"FÊTER NOËL,
LA SAINT-
VALENTIN..."

Birthday

New Year

Christmas

Valentine

CRRRR

MIKI ?

TU FAIS UNE DRÔLE DE TÊTE...

QU'EST-CE QUE TU AS ?

AH, EXCUSE-MOIII.

JE RÉFLÉCHISSAIS À AUJOURD'HUI...

ON N'A PLUS DE STYLO...

EH...

TU MANGES QUELQUE CHOSE ?

AH OUI.

AAH MAIS...

C'EST MIYU HAGIWARA QUI FAIT LA PUB. ♡

LE GOÛT D'UN VRAI BAISER.

OUAIS ...

ELLE EST MIGNONNE, NON ?

LES BONBONS MASCOTTE.

C'EST DES NOUVEAUX BONBONS.

BONBONS MASCOTTE

TU EN VEUX UN ?

OOOH, ÇA TE PERTURBE, JE VOIS... C'ÉTAIT POUR RIRE, IDIOTE !

JE PRENDS...

IL TESTE POUR VOIR SI ÇA ME TROUBLE...

VOILÀ CE QU'IL A DERRIÈRE LA TÊTE.

NE PAS E.

OK.

ALLONS-Y !

Meiko

...RAH !!

ÇA VA PAS LA TÊTE ?!!

ET MER-
DE...

JE N'EN
REVIENS
PAS !

QU'EST-
CE QUI
LUI A
PRIS ?!!

POURQUOI À MOI ET PAS À UNE AUTRE ?

POURQUOI A-T-IL FAIT ÇA ?!

...UEL ...ALE ...PE !!

JE NE LUI PARDON-NERAI JAMAIS !!

JE SUIS HORS DE MOI !

2nde B

DRIING

DRIING

BON.

C'EST TOUT POUR AUJOUR-D'HUI !

163

FREETALK

COMME JE L'AVAIS
ANNONCÉ DANS
LE VOLUME 9
PAGE 23 DE
"PRETTY GIRL",
J'AI ESSAYÉ DE
FAIRE POUSSER
DE LA MENTHE
POIVRÉE ET
DESCOSMOS.
TOUTEFOIS, PAS
L'OMBRE D'UNE
POUSSE POUR LE
MOMENT. JE NE
COMPRENDS PAS
POURQUOI. JE
SUIS DÉÇU. TOUT
DE SUITE APRÈS
LES AVOIR
PLANTÉS SUR
LA VÉRANDA, IL
A PLU PENDANT
QUELQUES JOURS
ET JE
LES AI LAISSÉS
DEHORS. CE
SERAIT LÀ MON
TORT ? (J'AI
L'IMPRESSION
QU'UN LECTEUR
ME CRIE
"ÉVIDEMMENT !")
MÊME SI JE N'AI
PAS LA MAIN
VERTE... JE N'AI
PAS DIT MON
DERNIER MOT
POUR AUTANT. JE
RENOUVELLERAI
L'EXPÉRIENCE !!

QU'EST-CE QUE TU RACONTES ?!

J'ATTENDS YUU...

CH

TAIS-T JE T' PRIE

JE SUIS CONTENTE DE TE REVOIR. TU VAS BIEN ?

MI..

?

QUI C'EST CETTE FILLE ?

NON.

NON,
T ?

'U
RIVAIS
À T'EN
BAR-
SER ?

EST
UN
PAIN
VEC
UI...

...JE ME
SUIS
DISPUTÉE.

AH.

UIS
LÉE

TU AVAIS
RENDEZ-
VOUS
AVEC YUU,
N'EST-CE
PAS...?

NON.

PAS
VRAIMENT.

VOUS ALLEZ ENCORE...

...SORTIR ENSEMBLE ?

COMME J'AI DU MAL À LE VOIR...

JE VENAIS SIMPLEMENT L'ATTENDRE...

...J'AI SÉCHÉ LES COURS DE L'APRÈS-MIDI.

EST-CE QU'IL...

...T'A PARLÉ DE MOI ?

EUH...

JE SAIS QUE TU AS ÉTÉ SA PETITE AMIE...

IL NE T'A PAS DIT POURQUOI ON S'ÉTAIT SÉPARÉS ?

JE VOIS...

IL NE T'A RIEN DIT.

NON...

EN EFFET...

C'EST VRAI...

EUH

...ETTE FILLE...

...LE CONNAÎT BIEN.

CE N'EST PAS JUSTE, JE TROUVE.

JE VAIS TOUT TE RACONTER.

...MME OUS IONS DANS ÊME SSE...

...NOUS N'AVIONS JAMAIS IMAGINÉ NOUS OCCUPER ENSEMBLE DE LA FÊTE DU SPORT QUI A LIEU EN AUTOMNE...

BIEN SÛR, JE LE CONNAISSAIS DE VUE. IL NE PASSE PAS INAPERÇU.

...JE N'AI PAS ENVIE DE SORTIR AVEC UNE FILLE POUR LE MOMENT.

...UIS TÉ...

LES RAGOTS ÉTAIENT DONC VRAIS...

HMM.

TU RÉPONDS TOUJOURS LA MÊME CHOSE.

LISEZ LE VOLUME 2.

...AU ...ANT.

...TES ...S ...ES ...N ...NT ...GUE

...ET QUELS QUE SOIENT LEURS ÂGES, TU LES AS REMBARRÉES DE LA MÊME FAÇON.

• • •

COMMENT LE SAIS-TU...?

J'ÉTAIS TELLEMENT MAL QUE JE N'EN AI PAS DORMI DE LA NUIT.

MAIS QUE POUVAIS-JE Y FAIRE ?

J'AI DÉCIDÉ DE L'OUBLIER.

JUSQU'AU JOUR OÙ J'AI RÉALISÉ...

...QUE PERSONNE NE POUVAIT LE REMPLACER...

JE VOULAIS CHANGER D'ÉCOLE ET CHERCHER UN AUTRE COPAIN.

...C'EST ALORS QUE JE L'AI REVU AU PARC D'ATTRACTIONS.

178

"JE NE LÂCHERAI PAS PRISE".

POURQUOI M'A-T-ELLE DIT ÇA ?

...SUR LUI.

JE N'AI PAS DE VUES...

SERAIS-JE AMOUREUSE DE LUI ?

IL COMPTE BEAUCOUP POUR MOI...

ET SI JE PENSE SOUVENT À LUI...

...PARCE QU'IL FAIT PARTIE DE MA FAMILLE.

...C'EST PARCE QUE J'AI DU MAL À LE CERNER...

AH OUI ? ET POURQUOI ?!

J'AI SANS DOUTE EU LE TORT DE T'ÉCRIRE UNE LETTRE D'AMOUR...

C'EST PAS ÇA.

CETTE LETTRE...

...OÙ L'AVAIS-TU CACHÉE, HEIN ?!

EUH...

...DANS LA REVUE...

...QUI ÉTAIT DANS TON SAC...

...CE N'ÉTAIT PAS...

..."MA" REVUE.

HEIN ?!

C'EST DE MIKI ET C'EST POUR GINTA !!

JE N'AI RIEN PU FAIRE...

ILS ÉTAIENT DÉJÀ...

...TOUS EN TRAIN DE LA LIRE...

C'EST...

...VRAI ?

GNÂÂÂÂÂ GNÂÂÂÂÂ

J'AURAIS AIMÉ...

...LA LIRE TOUT SEUL À LA MAISON.

TA LETTRE...

...M'A VRAIMENT FAIT...

...TR PLAI

187

C'EST À CAUSE DE CE MENSONGE...

JE PRÉFÈRE LES FILLES PLUS MÛRES.

QUE
E
JRA-
A...

GINTA, TU AS BIEN DIT QUE...

KI
E
'E-SE
...

...HEIN ?

OUAIS.

J'ÉTAIS LOIN DE PENSER...

...QUE TU ENTENDRAIS CETTE CONVERSATION...

JE N'AVAIS PAS LE CHOIX.

PUISQUE JE T'AVAIS BLESSÉE...

...J'AVAIS TOUT GÂCHÉ.

LE MAXIMUM QUE JE POUVAIS FAIRE POUR ME RACHETER ÉTAIT DE ME TONDRE, MAIS...

...TOUT ÉTAIT FINI POUR TOI.

J'AI EU TORT...

...DE MENTIR À MES COPAINS...

VOILÀ POURQU JE T'A TOUJOU CACHÉ M SENTIMEN

JE N'AVAIS PAS D'EXCUSES.

MARMALADE BOY

Titre original : "MARMALADE BOY"
©1992, by Wataru Yoshizumi
All rights reserved.
First published in Japan in 1992 by SHUEISHA Inc., Tôkyô
French translation rights in France arranged by SHUEISHA Inc.

- Edition française -
Traduction : Sylvie Siffointe
Adaptation graphique & Lettrage : BAKAYARO!

©2001, Editions GLÉNAT
BP 177, 38008 GRENOBLE Cedex.

ISBN : 978-2-7234-3722-6
ISSN : 1253-1928
Dépôt légal : octobre 2001

Achevé d'imprimer en France
en Janvier 2007 par Maury-Eurolivres

EMBARQUEZ SUR **www.glenat.com**